Pas d'Oscar pour l'assassin

Pas d'Oscar pour l'assassin

ROMAN

VINCENT REMÈDE

À PROPOS DE L'AUTEUR

Vincent Remède est un auteur français. Il est né en 1967 à Paris de parents eux-mêmes parisiens (ce n'est le cas que d'un habitant de la capitale sur vingt !). Il adore sillonner la ville à pied en tous sens et n'a jamais souhaité vivre ailleurs. Malgré tout, il éprouve souvent le besoin de se perdre dans d'autres grandes métropoles et on peut le croiser à New York, Londres, San Francisco ou Barcelone. Par ailleurs, c'est un passionné de plongée et il n'est pas non plus impossible de le rencontrer sous l'océan.

Enfin, depuis quinze ans, il parcourt également régulièrement l'Afrique francophone pour mener diverses activités éditoriales.

Dans la collection Mondes en VF

Papa et autres nouvelles, VASSILIS ALEXAKIS, 2012 (B1)

La cravate de Simenon, NICOLAS ANCION, 2012 (A2)

Enfin chez moi, KIDI BEBEY, 2013 (A2)

Le cœur à rire et à pleurer, MARYSE CONDÉ, 2013 (B2)

Quitter Dakar, SOPHIE-ANNE DELHOMME, 2012 (B2)

Un cerf en automne, ÉRIC LYSØE, 2013 (B1)

La marche de l'incertitude, VASSILIS ALEXAKIS, 2012 (B1)

Jus de chaussettes, VINCENT REMÈDE, 2013 (A2)

PROLOGUE

Paris, 9 février 2012, 8 h 16

Molière était un grand acteur et un immense auteur. Selon la légende, il est mort sur scène, dans un théâtre parisien. Rose Vérone était une jeune actrice débutante. Elle est morte assassinée[1] dans une caravane[2], à Paris.

À 8 h 16, Irène, maquilleuse de cinéma, est en pleine forme. Depuis quelques semaines, elle est très amoureuse d'Antony, alors tout va bien. C'est une jolie rousse pleine d'énergie. Elle marche vite pour rejoindre Rose Vérone, rue de l'Abbaye, où sont garées trois caravanes de maquillage et une dizaine de camions de matériel. Quand elle entre dans la caravane, Irène pense tout d'abord à une

---

1. Assassiner (v.) : *Tuer volontairement.*
2. Caravane (n.f.) : *Véhicule où on peut habiter.*

mauvaise blague[3]. Mais Rose n'est pas très blagueuse… Surtout, elle ne bouge vraiment pas… Et son regard fait très peur.

À 8 h 17, Irène n'est plus en forme du tout. Elle a oublié qu'elle était amoureuse du bel Antony. Elle sort de la caravane en <u>hurlant</u>.

À moins de cinquante mètres, quelques techniciens sont en train de préparer du matériel devant un porche, place de Furstenberg. Les hommes accourent. Un éclairagiste[4] tente de prendre Irène avec douceur par le bras, mais elle bondit comme un animal sauvage. La jeune femme montre du doigt la caravane. Maintenant, ce sont quinze personnes qui sont autour d'elle. Des acteurs déjà maquillés, le réalisateur du film, des machinistes et deux ou trois habitants du quartier.

Deux éclairagistes entrent dans la caravane, mais c'est pour ressortir immédiatement, sous le choc. C'est l'affolement[5]. Au cinéma, on filme beaucoup de morts mais on réagit mal devant un vrai cadavre[6].

---

3. Blague (n.f.): *Histoire drôle.*
4. Éclairagiste (n.m.): *Personne en charge des lumières sur un tournage de film.*
5. Affolement (n.m.): *Panique. Action de ne plus bien réfléchir à cause de la peur.*
6. Cadavre (n.m.): *Corps mort, sans vie.*

Par bonheur, la police est sur les lieux en un temps record : deux minutes vingt-six secondes. Il faut dire que Rose Vérone a été assassinée à trente mètres d'un commissariat[7], dans un quartier tranquille de Paris.

À 9 heures précises, Rose Vérone devait normalement tourner[8] une scène dans un film français intitulé *La Parole du chef*. Une histoire de jeunes au chômage qui n'arrivent pas à attaquer une banque. Son rôle : chercheuse d'emploi dépressive. Dans une scène charmante, elle devait embrasser son copain, place de Furstenberg, à Saint-Germain-des-Prés. L'ancien cœur de la vie littéraire parisienne, des maisons d'édition et des libraires. Les cinéastes adorent filmer ce quartier. Cependant, avec la forte augmentation des loyers parisiens, les éditeurs déménagent en banlieue les uns après les autres, laissant la place à des boutiques de luxe et à des galeries d'art.

En dehors des scénarios, Rose Vérone lisait assez peu. Son corps est étendu sur de la moquette rouge, les bras en croix. Une belle brune aux longues jambes, habillée seulement d'un peignoir et d'une culotte en satin. Ses grands yeux gris sont ouverts. Elle ne respire plus, mais on dirait qu'elle

---

7. Commissariat (n.m.) : *Bureau de la police.*
8. Tourner une scène (expr.) : *Jouer une scène filmée par une caméra.*

appelle à l'aide[9]. Son nez est violet et tout gonflé. De grosses gouttes de sang ont séché au-dessus de sa lèvre et sur ses oreilles. Son cou porte des traces rouges, résultat sans doute d'un étranglement[10]. Ça ressemble à une scène de cinéma, mais ce n'est pas du cinéma. L'actrice de 25 ans est morte, victime d'un mauvais scénario.

---

9. Appeler à l'aide : *Crier pour demander de l'aide.*
10. Étranglement (n.m.) : *Action de serrer le cou d'une personne pour l'empêcher de respirer.*

1

9 h 32

Le lieutenant[11] de police Oscar Tenon n'aime pas se lever tôt mais il n'y a pas d'heure pour découvrir des cadavres. Paresseux, il déteste courir dans tout Paris, chercher des heures entières une empreinte[12], un cheveu ou une toute petite trace de sang. Il remercie donc le meurtrier[13] d'avoir agi dans une caravane. Il y a peu d'endroits à inspecter[14].

Une banquette, des costumes sur des cintres, une longue table de maquillage et un miroir, deux sièges, une armoire, un chauffage électrique et

---

11. Lieutenant (n.m.): *Officier de police qui est sous l'autorité du capitaine, en charge de résoudre le crime.*
12. Empreinte (n.f.): *Trace laissée par les doigts.*
13. Meurtrier (n.m.): *Personne qui a tué quelqu'un.*
14. Inspecter (v.): *Vérifier dans tous les coins.*

des fenêtres masquées par de gros rideaux épais. Un tour sur soi-même permet d'inspecter toute la scène du crime. Et il ne faut pas être un géant pour rentrer dans la petite caravane de maquillage et d'habillage. Parfait pour Oscar Tenon qui mesure 1,705 mètre. Il tient beaucoup au 0,005 mètre. Mince, les épaules étroites, Tenon impressionne plus par sa personnalité que par ses muscles.

Rose Vérone a le regard perdu vers le plafond. Oscar Tenon l'observe attentivement, les mains dans les poches de son imperméable. Avec son costume étroit et sa petite cravate noire, il ressemble à un Beatles des années 1964-65. De nos jours, plus personne n'a sa coupe de cheveux, le brushing de Paul McCartney à ses débuts. Mais à trente-deux ans, Oscar Tenon a un look bien à lui et n'en changera plus. Et tant pis s'il ressemble plus à un adolescent qu'à un méchant flic[15].

Il a demandé à rester seul dans la caravane quelques instants. Il ne sait pas travailler en équipe. La brigade criminelle[16] est organisée en groupes de quatre ou cinq enquêteurs[17] mais

---

15. Flic (n.m.): *Policier. (fam.)*
16. Brigade (n.f.) criminelle (adj.): *Service de police qui s'occupe des crimes.*
17. Enquêteur (n.m.): *Policier qui fait des recherches pour résoudre un crime.*

Tenon, lui, travaille seul et mène toujours ses enquêtes sans trop respecter la loi[18].

Rose Vérone s'est certainement défendue, il y a des produits de beauté partout par terre et le miroir où s'admiraient les acteurs est fêlé. De plus, ses avant-bras portent des marques de coups.

L'actrice est presque jolie dans son dernier rôle mais son oreille gauche est déchirée. L'oreille droite est aussi recouverte de sang. Aurait-on assassiné Rose Vérone pour lui arracher ses boucles d'oreilles ? Un rôdeur[19] qui pénètre dans la caravane ? Un fan un peu fou qui repart avec un souvenir de son actrice préférée ?

Un peu pâle, Tenon a soudain besoin d'air. Il n'arrive plus à se concentrer. C'est mauvais pour la santé de rester trop longtemps en tête-à-tête avec une morte. Le jeune flic ouvre brusquement la porte de la caravane pour se retrouver face au commissaire[20] Brochant, trois flics en uniforme et une dizaine de membres de l'équipe du film :

– Patron, est-ce que la starlette[21] était célèbre ? Parce que moi, je ne la connais pas, lance-t-il bien trop fort.

---

18. Respecter la loi : *Suivre les règles.*
19. Rôdeur (n.m.) : *Personne qui marche dans un quartier et attend de commettre un crime ou un délit.*
20. Commissaire (n.m.) : *Responsable, chef d'une équipe de policiers.*
21. Starlette (n.f.) : *Jeune actrice qui veut devenir une star de cinéma.*

Devant la caravane, soudain, les discussions à voix basse s'arrêtent. L'ambiance est lourde et il fait froid.

– Un peu de discrétion, Tenon! répond Brochant d'un ton plein de reproche. Venez par là.

Les deux hommes se mettent à l'écart, derrière un long camion qui sert de cantine à l'équipe du film. Le commissaire Jean-Claude Brochant est le chef de Tenon. Fatigué par trente-cinq ans passés à la brigade criminelle, il part bientôt à la retraite[22]. Bizarrement, il fait confiance au jeune Tenon, même si ce dernier ne respecte ni les lois, ni la discipline, ni le travail administratif. Mais Tenon le fait rire et surtout, obtient de bons résultats dans ses enquêtes…

– Rose Vérone débutait dans le cinéma, murmure Brochant. Elle a participé à deux ou trois films. Elle commençait à être un peu connue. C'était surtout la petite copine de Tony Luisant. On la voyait beaucoup dans les magazines *people* avec lui.

– Jamais entendu parler de ce Luisant. Qui est-ce ?

---

22. Partir à la retraite (expr.): *Arrêter de travailler après 40 ans de travail.*

– Un chanteur à la mode. Ma fille l'adore, confie Jean-Claude Brochant avec un petit sourire.

– Rose Vérone aurait-elle pu avoir un fan qui la suivait partout ?

– C'est possible mais elle n'était pas très connue…

– Ou une fan de Tony Luisant un peu trop jalouse ? s'interroge Oscar. Au fait, on a retrouvé ses affaires personnelles ? Je n'ai rien vu dans la caravane.

– Non, rien pour l'instant, mais vos collègues inspectent le quartier. Et nous avons appelé son téléphone portable, mais il est sur messagerie.

– Pour l'instant, ça semble clair, affirme Tenon, sûr de lui. Le corps paraît bien rigide, je pense que la mort remonte à plus de six heures, soit vers minuit ou une heure du matin. La serrure[23] de la caravane est intacte. La porte n'était pas verrouillée. Après le tournage, un type entre et surprend Rose Vérone. Il veut lui voler son sac et ses boucles d'oreilles. La jeune femme se débat. Il l'étrangle…

Le commissaire interrompt Tenon d'un geste de la main. D'une voix grave pleine d'autorité, il lance :

---

23. Serrure (n.f.) : *Endroit où on met la clé pour ouvrir ou fermer une porte.*

– Attendons le rapport d'autopsie[24]. C'est une affaire délicate. Les journalistes vont tous en parler. Faites attention avec l'équipe du film. Ils sont sous le choc.

– Vous pouvez compter sur moi, patron ! Je suis méchant seulement quand on m'énerve.

10 h 12

Le réalisateur[25] du film est un petit brun d'environ cinquante ans, avec de gros sourcils et des cheveux châtains dans tous les sens. Il ne fume pas le cigare mais mâche un chewing-gum de façon assez vulgaire. Il porte un gros anorak blanc et ressemble à une énorme boule de neige.

Simon Barot a déjà réalisé cinq films. Le premier a été un succès mais depuis, il semble ne plus avoir d'inspiration. Les producteurs[26] de ses derniers films ont sans doute perdu beaucoup d'argent.

Devant la caravane où se trouve encore le cadavre de Rose Vérone, Oscar Tenon fait signe

---

24. Rapport (n.m.) d'autopsie (n.f.) : *Rapport médical qui présente la cause de la mort d'une personne.*
25. Réalisateur (n.m.) : *Personne qui dirige le film.*
26. Producteur (n.m.) : *Personne qui s'occupe de rassembler l'argent et l'équipe pour tourner un film.*

au réalisateur d'approcher. L'homme n'a pas un visage sympathique. Il bouge les yeux sans arrêt et ne pose son regard sur rien ni personne.

— Combien de personnes travaillent sur le film ? demande le flic. Avec tous ces camions et ces caravanes qui bloquent la rue, on dirait le cirque Barnum !

— Nous sommes une trentaine, répond Simon Barot avec nervosité.

— On ne peut pas faire un film avec quatre ou cinq personnes ? Il y a toujours deux cents noms au générique[27] !

— Chacun a un rôle bien précis, répond sèchement le réalisateur.

— Aujourd'hui, le tournage[28] est arrêté par décision de police. Avec mes collègues, nous devons interroger tous les membres de votre équipe. Nous irons au commissariat, c'est tout près d'ici. De toute façon, vous n'avez plus d'actrice. D'ailleurs, comment allez-vous faire pour la suite ?

— Je pense que nous devrons remplacer Rose et refilmer des scènes. Heureusement, elle n'avait pas le premier rôle.

— Ouais, *the show must go on* ! Vous n'avez pas l'air bien triste ?

---

27. Générique (n.m.) : *Liste des personnes qui ont travaillé pour un film.*
28. Tournage (n.m.) : *Moment où on filme les scènes du film.*

— Vous plaisantez, je suis sous le choc! crie Simon Barot, cette fois en fixant le jeune lieutenant dans les yeux.

Alerté par les cris de Barot, un jeune barbu aux cheveux rasés s'approche du réalisateur et lui demande:

— Il y a un problème, Simon?

— Non, aucun problème! répond Tenon, avec un sourire ironique. Monsieur Barot me raconte les charmes du cinéma. Quel est votre nom, jeune homme?

— Alain Davou. Je suis le régisseur[29] du film.

— C'est-à-dire?

— Je m'occupe des horaires, de l'organisation, du matériel, des repas, d'emmener les acteurs chez eux...

— Parfait! l'interrompt Tenon. Vous allez donc me dire ce que faisait Rose Vérone dans sa caravane, en pleine nuit, alors qu'elle ne devait tourner qu'à neuf heures ce matin.

— Hier soir, nous avons filmé des scènes jusqu'à 22 h 45. Le temps de se démaquiller, elle aurait dû rentrer chez elle vers minuit.

— Et personne ne devait la ramener en voiture?

---

29. Régisseur (n.m.): *Personne qui s'occupe de l'organisation matérielle du tournage.*

– Non, elle habitait à cinq minutes à pied, près de l'Académie française.

– Et qui a vu Rose Vérone pour la dernière fois ?

– Sans doute Irène, la maquilleuse… Peut-être un vigile qui surveille les camions et les caravanes la nuit…

Le lieutenant fait un signe à un collègue qui s'approche en guidant délicatement Irène.

– Quand avez-vous vu Rose Vérone pour la dernière fois ?

– … Je l'ai quittée… vers 23 h 30… Elle aimait… se reposer dans… la caravane après le tournage.

– Et tout était normal ?

– Je pense… C'est horrible ce qui lui est arrivé… murmure la maquilleuse.

– Mmmh, répond Tenon, agacé. Et elle portait des boucles d'oreille ?

– … Elle avait des… petits diamants… mais elle les… retirait pour le film.

– Où les rangeait-elle pendant le tournage ?

– Dans son sac à main… sans doute…

– Et à quoi ressemblait ce sac ?

Soudain, un homme en pleurs lui aussi s'approche, très élégant avec son manteau en cachemire et son chapeau Borsalino.

– C'était un beau Kelly rouge de chez Hermès.

– Comment savez-vous ça ? demande le lieutenant Tenon.

– Je suis Pierre Bertin, je suis… j'étais le manager de Rose.

L'homme a la voix cassée. Il est très triste mais pleure avec dignité, en silence. Il a appris la nouvelle du meurtre il y a moins d'une heure.

– Vous devez donc savoir si Rose avait des problèmes dans la vie ?

– Rose n'avait pas de problèmes. Elle était gentille et bien élevée.

– Elle n'avait donc pas d'ennemis, de dettes ou un fan trop pressant ?

– Des ennemis, c'est impossible ! Tout le monde l'adorait… Et elle était très sérieuse avec l'argent. Par contre, il n'y a pas longtemps, elle a reçu des mails bizarres d'un fan.

Tenon sort rapidement de sa poche un carnet et un stylo. Avec autorité, il les tend à Pierre Bertin.

– Notez l'adresse mail de mademoiselle Vérone.

Après un mouvement de recul, l'homme demande d'une voix hésitante :

– Vous allez respecter sa vie privée, j'espère ?

– Elle n'a plus de vie privée, elle est morte, répond Tenon, le regard vers le ciel.

15 h 36

L'équipe du film est réunie dans le commissariat, au 14 rue de l'Abbaye, à quelques mètres du lieu de tournage. Ambiance métro à huit heures du matin. Il y a du monde partout et pas assez de sièges. Le lieutenant Tenon et ses collègues de la brigade criminelle interrogent les membres de l'équipe un à un, dans de tristes bureaux minuscules. L'assassin pourrait très bien être un rôdeur mais Rose Vérone connaissait peut-être son meurtrier...

Six acteurs sont présents, quatre hommes et deux femmes. Aucune grande vedette[30], mais ils sont jeunes et beaux. Tenon laisse ses collègues les interroger. Il s'intéresse plutôt aux techniciens du film. Eux ne savent pas jouer la comédie, en principe.

D'après les premiers témoignages, Rose Vérone était douce, souriante mais un peu mystérieuse. Elle parlait rarement aux autres membres de l'équipe, notamment ses collègues acteurs. Elle s'enfermait des heures entières dans sa caravane

---

30. Vedette (n.f.) : *Star.*

entre les scènes du tournage. Pas vraiment la bonne copine…

Louis Garcia est électricien. Il s'occupe des lumières. Le cheveu gris et le ventre rond, on sent qu'il a dû éclairer beaucoup de films. En râlant[31] certainement car il n'a pas l'air aimable.

– Vous connaissez bien les membres de l'équipe du film ? lui demande Tenon.

– Oui, assez bien. Ça fait trente ans que je travaille dans le cinéma. On a bossé sur pas mal de films ensemble. Et pas que des chefs-d'œuvre !

– À votre avis, *La Parole du chef* sera-t-il un bon film ?

– J'en sais trop rien. Mon job, c'est l'électricité et l'éclairage. En tout cas, le réalisateur n'a pas l'air de savoir très bien ce qu'il veut.

– C'est-à-dire ?

– Il est toujours en train de tout changer, de tout refaire. Et puis il gueule[32] tout le temps.

– Vous ne l'aimez pas beaucoup ?…

– C'est lui qui n'aime personne ! Il se croit meilleur que tout le monde.

– Bref, l'ambiance n'est pas super ! lâche Tenon en souriant.

– Mouais, pas terrible…

---

31. Râler (v.) : *Se plaindre. (fam.)*
32. Gueuler (v.) : *Crier sur d'autres personnes. (fam.)*

— Et Rose Vérone, vous en pensiez quoi ?

— Rien… Elle ne m'a jamais adressé la parole. Une fille très discrète. Ça change de toutes les actrices qui jouent la comédie même quand on ne filme pas.

— Et vous n'avez jamais vu quelqu'un s'intéresser à elle ?

— Oh, si! Son manager était presque toujours derrière la caméra quand elle tournait. Il la suivait partout. Plusieurs fois, Simon Barot lui a demandé de partir en hurlant. Ces deux-là se détestent.

Un flic entre soudain dans la pièce, sans avoir frappé à la porte :

— Lieutenant Tenon, on a besoin de vous à la réception. Il y a un problème !

Tenon fait signe à Louis Garcia de partir et se précipite à l'extérieur de la pièce.

Dans le hall du commissariat, un homme d'une quarantaine d'années crie tout en faisant de grands gestes. Il est menaçant mais pas très impressionnant. Sa voix est trop aiguë, ses gestes trop désordonnés, sa silhouette trop fine, ses yeux trop petits. Avec ses longs cheveux blonds, il ressemble à un adolescent qui pleure encore la mort de Kurt Cobain. Mais il porte un costume de grand couturier.

Deux policiers tentent de le maîtriser.

— Il est hors de question d'arrêter le tournage ! J'exige des explications ! hurle-t-il.

En deux secondes, Oscar Tenon lui fait face, l'air mauvais. Le flic n'est pas grand mais ses grands yeux verts sont agressifs.

— Comment ? Vous exigez ? Vous êtes dans un commissariat et je suis officier de police. Qui êtes-vous ?

— Thomas Sandman ! Je suis le producteur du film que vous avez stoppé ! C'est une catastrophe, le tournage doit reprendre. Faites votre boulot et laissez-nous tranquilles…

— Justement, je fais mon travail, monsieur. Je cherche à savoir comment une de vos actrices a trouvé la mort. Moi, je ne fais pas de cinéma…

Rouge de colère, Sandman l'interrompt :

— Il n'y a pas d'assassin dans mon équipe. Nous sommes les victimes dans cette affaire ! Et vous me faites perdre beaucoup d'argent en arrêtant le tournage.

— C'est vraiment dommage mais le film est arrêté jusqu'à demain. Le temps que nous entendions tous les membres de l'équipe. Et s'il y a un assassin parmi vous, vous me remercierez plus tard de l'avoir découvert…

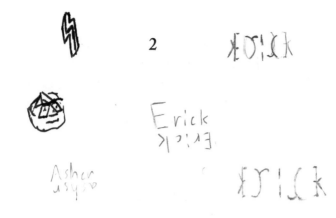

2

10 février 2012, 9 h 39

Depuis une heure, Asafar Boulifa pianote[33] avec ses grosses mains musclées sur un clavier d'ordinateur. À trente-deux ans, il a encore du mal à s'intéresser aux femmes. C'est un solitaire complexé[34] par son long nez et ses yeux marron trop écartés. Il fait donc beaucoup de musculation[35] pour avoir un corps parfait. Résultat : il prend trois ou quatre douches par jour car il transpire beaucoup.

Le jeune homme d'origine kabyle recherche des informations sur Rose Vérone. Oscar Tenon

---

33. Pianoter (v.) : *Taper un texte très rapidement sur le clavier d'un ordinateur, comme sur un piano.*
34. Complexé (adj.) : *Personne qui n'aime pas une partie de son corps et a peur du regard des autres personnes.*
35. Musculation (n.m.) : *Activité physique pour développer les muscles.*

patiente derrière lui en buvant un thé et en recoiffant nerveusement son brushing. Asafar Boulifa est un génie de l'informatique[36]. Le lieutenant Tenon préfère passer la matinée chez lui plutôt que d'aller à la brigade criminelle, quai des Orfèvres.

Boulifa habite près de chez Tenon, dans le 15e arrondissement de Paris. Ils se sont connus à l'école, il y a plus de vingt ans. Et depuis, les deux amis se voient pratiquement tous les jours. Ils discutent beaucoup et Oscar incite souvent son ami à sortir rencontrer des filles dans les bars et les soirées. Sa timidité est un sérieux handicap pour rencontrer de jolies Parisiennes célibataires.

Avec sa paie misérable, le jeune flic se demande comment Asafar peut gagner autant d'argent. Il travaille chez lui, devant trois ou quatre ordinateurs à la fois. Il anime des personnages dans des jeux vidéo de combat. Il n'imagine rien, aucun scénario, aucune aventure. Boulifa se contente de programmer les héros pour qu'ils se déplacent de façon réaliste. À Paris, il est le meilleur dans son domaine.

Très bien payé, le programmeur n'a donc pas besoin de beaucoup travailler. Et Oscar Tenon

---

36. Informatique (n.f.) : *Tout ce qui est en rapport avec les ordinateurs.*

profite du temps libre de son ami car il n'est pas un flic *high-tech*. Pas de téléphone portable, pas d'ordinateur, pas d'appareil photo numérique, pas de téléviseur à écran plat. Et il circule dans Paris avec une vieille Mobylette[37] des années soixante-dix. Le jeune lieutenant semble vivre dans une autre époque.

Il déteste peut-être les nouvelles technologies mais il sait s'en servir pour enquêter. Et pas toujours de façon légale[38]... L'aide d'Asafar est ainsi très utile car il pirate[39] avec facilité boîtes mails, comptes en banque, bases de données des entreprises, téléphones portables... Tout cela fait gagner du temps.

Si Tenon demandait officiellement l'accès à la boîte mail de Rose Vérone, cela prendrait deux jours. Avec Asafar, un peu plus d'une heure, mais c'est illégal... Tenon aime le risque et sa stratégie est claire : aller le plus vite possible pour ne laisser aucune chance aux assassins de disparaître.

– Ça y est ! Je suis sur la boîte mail de Rose Vérone, déclare Asafar, un sourire de satisfaction sur les lèvres.

---

37. Mobylette (n.f.) : *Vélo motorisé. Il s'agit d'une marque très connue.*
38. Légal (adj.) : *Qui respecte la loi.*
39. Pirater (v.) : *Accéder à des ordinateurs, des documents, ou à des e-mails sans autorisation.*

– Parfait!

Le jeune flic ouvre immédiatement les mails de Rose Vérone, même s'il déteste lire sur un écran d'ordinateur.

L'actrice recevait beaucoup de messages de son manager, Pierre Bertin : des rendez-vous à des castings, des histoires d'argent, des invitations pour des soirées mondaines[40]… Par contre, Tenon ne trouve aucun message de son amant, le chanteur Tony Luisant. Quelques amis lui écrivaient régulièrement, sans compter les auteurs de spams. Rien de bien étrange dans tout cela.

– Son manager m'a parlé de messages bizarres d'un fan, mais je ne vois rien, regrette Tenon.

– Regarde dans le dossier des messages indésirables ou dans la poubelle, propose Boulifa. Tu cliques en bas de l'écran.

La poubelle n'a pas été vidée depuis des semaines. Ce sont des dizaines de spams qui l'encombrent. Et parmi tous ces messages de publicité qui proposent du viagra, sept messages envoyés par un certain Lilian Love. Les titres sont tous identiques : « La première fois que je t'ai vue ». Les messages brefs sont le délire d'un fan un peu fou. Le type pense vraiment qu'il va

---

40. Mondaine (adj.) : *À la mode.*

vivre heureux et avoir beaucoup d'enfants avec Rose Vérone. Dès qu'il a vu l'actrice dans son premier film, il est tombé amoureux. Les messages se terminent toujours par la même phrase inquiétante : « Quand tu me verras, tu m'aimeras, c'est sûr. »

— Peut-être que la première fois qu'ils se sont vus, les choses ne se sont pas bien passées, commente Tenon, l'air songeur. Imagine ce type arrivant en pleine nuit dans la caravane. En tout cas, nous n'avons que cette piste et elle est intéressante. Hier, les interrogatoires[41] de l'équipe du film n'ont rien apporté. À part qu'il y a une très mauvaise ambiance sur le tournage. Et le vigile de nuit n'a vu personne autour des caravanes.

— Et vous n'avez pas retrouvé son sac à main et son téléphone ? demande Asafar.

— Non. J'ai une intuition. Je pense que nous n'avons pas affaire à un simple voleur qui prend l'argent, les bijoux, le téléphone et se débarrasse rapidement du sac. On a bien examiné autour de la caravane, mais on n'a rien trouvé. J'aimerais bien que tu me cherches les coordonnées de ce Lilian Love.

---

41. Interrogatoire (n.m.) : *Questions posées par les policiers à une personne soupçonnée pendant une enquête.*

— Pas de problème, mais c'est assez compliqué. Il faut que je pirate les fichiers de son serveur Internet.

— Je passe demain matin. Tu auras l'information ?

— Sans doute, répond Asafar. Rien ne me résiste.

14 h 16

Oscar Tenon arrive en Mobylette au 36 quai des Orfèvres, la célèbre adresse de la brigade criminelle, sur l'île de la Cité. Les bureaux sont petits et anciens mais ils ont accueilli les plus grands criminels de l'histoire de France. L'ambiance y est bizarrement chaleureuse et inquiétante à la fois. En 2015, tout le monde déménagera dans une tour moderne aux Batignolles, dans le 17e arrondissement. Les flics et les syndicats se plaignent de devoir quitter le centre de Paris. Tenon, lui, s'en fiche car il est plus souvent dehors que dans les locaux de la brigade.

Le commissaire Brochant vient de recevoir le rapport d'autopsie de Rose Vérone. Tenon le rejoint dans son bureau au dernier étage.

— Le meurtre de Rose Vérone est déjà dans tous les journaux, déclare Brochant d'une voix fatiguée. Et les journalistes vont se déchaîner avec ce qu'il y a dans le rapport d'autopsie…

– Et pourquoi ? demande Tenon.

– Rose Vérone était enceinte[42] depuis un mois et demi…

Surpris, Oscar Tenon réfléchit quelques instants :

– Effectivement, ça peut changer pas mal de choses… mais on ne peut pas écarter la piste d'un rôdeur…

– Pour le reste, l'autopsie ne nous apprend pas grand-chose, poursuit Brochant. La victime est bien morte étranglée et n'a pas été violée[43]. Des analyses sont en cours mais les scientifiques sont pessimistes. Ils ne pensent pas trouver de traces ADN du meurtrier.

– Mmmh, il devait avoir des gants, suggère Tenon. L'assassin avait peut-être préparé son coup…

– Oui, mais il faisait froid hier soir. Tout le monde porte des gants en cette saison…

– C'est vrai mais je pense que l'assassin connaissait Rose Vérone… ou voulait la connaître. J'ai peut-être une piste : un fan qui lui a envoyé quelques mails inquiétants.

---

42. Être enceinte (expr.) : *État d'une femme qui attend un bébé dans son ventre.*
43. Être violé (expr.) : *Subir un acte sexuel contre sa volonté.*

— Eh bien, au boulot[44], Tenon, parce que nous sommes un peu dans le brouillard! Les interrogatoires d'hier sont décevants.

— Des collègues ont rencontré la famille de Rose Vérone ? demande Oscar.

— Malheureusement elle était orpheline[45] et n'a jamais connu ses parents. Elle a été élevée par des familles d'accueil. Il nous reste le chanteur avec qui elle vivait.

18 h 30

Tony Luisant habite un grand appartement derrière l'Académie française mais ce n'est pas un intellectuel. Il n'a pas lu un livre depuis des années. Il est surtout célèbre pour ses chansons aux paroles absurdes. *Je t'aime, tu m'aimes moi non plus...* Et son look de *latin lover* aux yeux clairs plaît aux femmes. Le lieutenant Tenon n'est pas une femme et il ne s'intéresse qu'à l'opéra. Il ne connaît donc pas les mélodies du chanteur et n'est pas impressionné par la star devant lui.

Tony Luisant est un grand brun bronzé à la mâchoire carrée. Il doit avoir environ trente-cinq

---

44. Au boulot (expr.) : *Ordre de commencer à travailler. Un boulot est un travail (fam.).*
45. Orphelin (adj.) : *Enfant dont les parents sont morts.*

ans. Sa poignée de main ferme plaît au flic. L'artiste est visiblement très ému par la mort de Rose Vérone. Il semble un peu perdu dans son grand appartement aux murs blancs avec d'étranges tableaux de toutes les couleurs.

— Quand avez-vous vu Rose pour la dernière fois ? demande Tenon, après avoir refusé un verre de whisky.

— Il y a quatre ou cinq jours. Je donne des concerts en ce moment, je n'ai pas beaucoup de temps.

— Le soir de sa mort, vous ne deviez pas vous retrouver ici après le tournage ?

— Non, j'étais à Nice pour un spectacle.

— Rose avait-elle des ennemis ?

— C'est impossible, elle était adorable.

— Parlez-moi un peu d'elle. Comment était-elle dans la vie de tous les jours ?

— Rose était très facile à vivre. Nous discutions pas mal ensemble, de tout et de rien.

— Elle sortait, elle rencontrait beaucoup de monde ?

— Non, pas vraiment. Elle avait une vie très saine. Elle ne buvait pas et ne fumait pas. Elle faisait beaucoup de gymnastique et de yoga.

— Pourriez-vous me montrer où elle rangeait ses affaires ? Nous n'avons pas retrouvé son sac à main. Peut-être l'a-t-elle oublié avant d'aller sur le tournage du film.

–… Elle n'oubliait jamais son sac à main…

Tony Luisant est embarrassé, le regard vers le plafond plutôt que sur Tenon. Il oublie la demande du flic et passe à un autre sujet :

– Vous savez qui l'a assassinée ?

– Nous cherchons encore, mais je voudrais voir ses armoires et ses affaires, insiste le flic en se levant.

La star de la chanson indique une porte d'un geste timide de la main :

– C'est là, c'était sa chambre…

– Vous ne dormiez pas dans la même chambre ? demande spontanément Tenon.

– Oui… non, balbutie[46] Luisant.

– C'est oui, ou c'est non ?

– C'est plus compliqué que ça…

– Vous êtes bien mystérieux ! Je vais vous laisser réfléchir quelques instants.

Brusquement, le flic part inspecter la chambre de Rose Vérone sans plus se préoccuper du chanteur.

C'est une large pièce très bien rangée. De la fenêtre, on voit le dôme de l'Académie française et un square tranquille. Aux murs, Tenon observe

---

46. Balbutier (v.) : *Prononcer des mots avec difficulté et hésitation.*

de nombreuses photos de l'actrice en noir et blanc, sans doute entourée de ses amis. La jeune femme avait un très beau sourire, avec de belles dents de devant légèrement écartées. Elle ressemble un peu à Lætitia, une jeune enseignante avec qui Tenon est sorti pendant quelques mois. Cependant, le flic ne se laisse pas envahir par la nostalgie[47].

Il ouvre les portes d'un immense placard, inspecte chaque vêtement, chaque boîte de chaussures, chaque paire de chaussettes. C'est une sensation assez étrange de manipuler les affaires d'une personne récemment décédée. Comme si Rose Vérone pouvait débarquer d'un moment à l'autre. Mais pas de traces d'un sac à main rouge. Sous le lit, sous les draps, rien à signaler non plus.

Mais Tenon ne se décourage pas. Dans le tiroir de la table de chevet, il découvre la boîte vide d'un test de grossesse[48]. La confirmation que Rose Vérone se savait bien enceinte…

Tenon prend la boîte, sort de la chambre et la montre à Tony Luisant.

– Vous saviez que Rose Vérone était enceinte ?

Le chanteur reste muet[49] quelques instants.

---

47. Nostalgie (n.f.) : *Sentiment triste sur le passé.*
48. Test de grossesse (n.m.) : *Test pour savoir si une femme attend un enfant.*
49. Muet (adj.) : *Sans voix. Ne plus pouvoir parler.*

– Bah non, lâche-t-il difficilement.

Le lieutenant Tenon profite de l'effet de surprise. Son visage est maintenant à trente centimètres de celui de Luisant. Le chanteur recule d'un geste maladroit. Il est inquiet et Tenon ne fait rien pour le mettre à l'aise.

– Pour un couple, vous n'étiez pas très proches tous les deux !

– … En fait, avec Rose, nous avions un accord. L'appartement est grand. Nous vivions chacun de notre côté. Nous étions bons amis, c'est tout.

– Ça signifie que vous n'êtes pas le père de l'enfant qu'elle attendait ?

– Non…

– Intéressant… Et pourquoi les journaux parlent de vous comme du couple de l'année ?

Le chanteur met du temps à répondre, les mains crispées[50].

– Dans le show-biz, il y a beaucoup de faux couples, juste pour se faire de la publicité… Pour mon image dans les médias… j'avais besoin d'une femme jeune et belle. Et Rose, ça l'aidait à se faire connaître dans le monde du cinéma.

---

50. Les mains crispées : *Les mains refermées. La personne est stressée.*

21 h 16

Le manager de Rose Vérone habite un très bel appartement, rue Guynemer, avec de grandes tapisseries sur les murs. De la fenêtre du salon, on aperçoit le jardin du Luxembourg et le palais du Sénat. Un des endroits les plus chics de Paris.

Oscar Tenon est installé dans un fauteuil en cuir, face à Pierre Bertin et son épouse, Norma. Ils ont tous les deux une soixantaine d'années et portent des vêtements de grands couturiers. L'homme est trapu[51], avec un visage étrangement fin, presque féminin. Il doit s'épiler[52] les sourcils et ses cheveux sont impeccablement[53] rasés.

Sa femme déteste sans doute vieillir. Elle a la peau du visage trop lisse[54] et des yeux bizarrement asiatiques. Oscar Tenon pense qu'elle a fait un lifting, voire plusieurs. Elle semble avoir beaucoup pleuré, comme son mari, mais le flic ne se laisse pas attendrir :

– Depuis combien de temps travailliez-vous avec Rose Vérone ?

– Avec elle, ce n'était pas du travail ou une histoire d'argent, répond tristement Pierre Bertin.

---

51. Trapu (adj.) : *Petit et musclé.*
52. Épiler (v.) : *Enlever des poils avec une pince.*
53. Impeccablement (adv.) : *Très bien, parfaitement.*
54. Lisse (adj.) : *Sans rides, sans signe de vieillesse.*

Je m'occupais de sa carrière d'actrice pour le plaisir.

– Nous n'avons jamais eu d'enfant, Rose était comme notre fille, sanglote[55] la femme.

– C'est-à-dire ?…

– Rose était orpheline, répond Pierre Bertin d'une voix tremblante. Ses parents sont morts dans un accident de voiture quand elle avait six mois. Jusqu'à ses dix-huit ans, elle a vécu dans des familles d'accueil. Je l'ai rencontrée il y a six ans, au moment d'un casting. Et depuis, nous ne nous sommes plus quittés. Elle avait besoin d'aide mais elle avait une grande force de caractère. Elle avait sa chambre, ici, dans notre appartement…

– Elle vivait encore ici et pas avec Tony Luisant ?

– Non, ça faisait un an environ qu'elle habitait avec lui, rue de Seine.

– Mmmh, j'ai rencontré monsieur Luisant cet après-midi. C'est vous qui avez imaginé ce scénario ridicule de l'amourette de Rose et Tony ?

Le manager ne cache pas son malaise. Avant de répondre, il fixe longuement ses mains aux ongles impeccables.

---

55. Sangloter (v.): *Pleurer en faisant du bruit.*

38

– C'était une idée du manager de Luisant… Rose et Tony étaient très copains, mais ça n'allait pas plus loin…

– D'ailleurs, vous savez qui fréquentait Rose ?

– Rose était très discrète sur sa vie sentimentale, intervient Norma Bertin. Elle ne nous a jamais présenté personne.

– Elle ne vous a donc jamais parlé du père de l'enfant qu'elle attendait ?

Norma et Bertin se regardent sans très bien comprendre. Ils sont K.O. dans leur canapé.

– Oui, poursuit le flic sans ménagement. Rose était enceinte au moment de sa mort.

De grosses larmes coulent maintenant sur les joues liftées de Norma Bertin. Son mari la prend dans ses bras, le regard vide.

– Vous êtes sûrs de ne pas connaître le père de son enfant ? insiste Tenon.

– Non, lâche Pierre Bertin. Rose était assez secrète, surtout ces derniers mois. Mais je n'aurais jamais accepté qu'elle sorte avec n'importe qui.

L'ambiance est lourde et Tenon aime malmener[56] les témoins[57] pour obtenir de bonnes informations. En face de lui, on pleure et lui sourit.

---

56. Malmener (v.): *Traiter avec violence, stresser quelqu'un.*
57. Témoin (n.m.): *Personne qui peut apporter des informations dans le cadre d'une enquête.*

– On m'a dit que vous étiez toujours là quand Rose tournait… Le soir de sa mort, vous n'étiez pas sur le tournage ?

– Non, Pierre avait un dîner avec des amis, répond Norma à la place de son mari.

– Vous n'étiez pas ensemble à ce dîner ?

– Non, je suis restée ici, j'étais un peu fatiguée.

– Monsieur Bertin, vous êtes rentré à quelle heure de ce dîner ?

– Vers minuit, peut-être, je ne me souviens plus très bien…

– Une dernière chose avant de partir, lance Tenon en resserrant son nœud de cravate. Vous connaissez les boucles d'oreilles que l'on a volées à Rose ?

– Bien sûr, répond Norma dans un sanglot. C'étaient des petits diamants qu'elle mettait tout le temps. C'est un cadeau de Pierre. Ils appartenaient à sa mère.

– Et ces boucles avaient beaucoup de valeur ?

Pierre Bertin ne retient plus ses larmes. Il parvient difficilement à dire :

– Elles… avaient… surtout… une grande valeur sentimentale.

3

11 février 2012, 8 h 55

Chez lui, devant ses ordinateurs, Asafar
Boulifa est efficace, certainement plus qu'Oscar
Tenon qui a du mal à se réveiller. Assis dans
un canapé profond, le flic observe son ami en
bâillant. L'informaticien a trouvé un nom, une
adresse et un numéro de téléphone : la ligne dont
s'est servi Lilian Love pour envoyer ses messages d'amour à Rose Vérone. Boulifa est tout
simplement heureux de rendre service à son vieil
ami Tenon, même s'il n'aime pas trop les flics en
général :
— J'ai réussi à pirater les fichiers du fournisseur d'accès Internet[58]. C'était un jeu d'enfant. Ils

---

58. Fournisseur d'accès Internet (n.m.) : *Entreprise qui vend des
connexions Internet.*

pensent plus à gagner de l'argent qu'à sécuriser[59] les fichiers de leurs clients !

– J'imagine que Lilian Love était un pseudonyme[60] utilisé par le fan de l'actrice… affirme Tenon en se levant.

– Tout à fait ! Le type s'appelle Jean-Claude Marin, c'est moins *glamour*. Et il habite à Besançon. C'est pas tout près de Paris.

– Tu peux me noter son adresse et son numéro de téléphone sur un papier. Je vais passer au quai des Orfèvres. Nos collègues de Besançon iront l'interroger mais si c'est lui l'assassin, il est peut-être encore à Paris…

9 h 47

Quai des Orfèvres, Oscar Tenon tend le papier écrit par Boulifa au commissaire Brochant. Ce dernier ne souhaite pas savoir comment Tenon a obtenu l'information.

– Vous êtes un rapide, Tenon !...

– Avec ma Mobylette, nous ne dépassons jamais les 50 km/h, répond Tenon avec un sourire malicieux.

---

59. Sécuriser (v.) : *Protéger contre toute attaque.*
60. Pseudonyme (n.m.) : *Faux nom.*

— En tout cas, soyez prudent avec vos magouilles[61] informatiques… menace Brochant. Et j'imagine que vous avez aussi les mails que Lilian Love a envoyés à Rose Vérone ?

— On ne peut rien vous cacher…

— Bon… nous allons trouver Jean-Claude Marin, mais ce n'est pas la seule piste à suivre ! J'ai mis dix hommes sur cette affaire. Hier soir, ils ont patrouillé[62] à Saint-Germain-des-Prés. Ils ont rendu visite aux habitants de la rue de l'Abbaye, mais tout le monde a l'air sourd et aveugle dans ce quartier. Ils ont aussi arrêté les S.D.F.[63] du quartier et les ont interrogés toute la nuit.

— Dans les beaux quartiers, il ne doit pas y avoir beaucoup de clochards[64], affirme Tenon avec ironie.

— Ils ont interrogé une dizaine de types qui traînent à Saint-Germain-des-Prés. Et aucun n'avait de sac Hermès rouge ni de diamants.

— Si c'est le crime d'un voleur ou d'un S.D.F, le type s'est débarrassé du sac depuis longtemps. Il a très bien pu le jeter dans la Seine qui n'est pas très loin, propose Tenon.

---

61. Magouille (n.f.): *Action douteuse, pas légale, pas loyale. (fam.)*
62. Patrouiller (v.): *Aller et venir à la recherche de quelque chose. Surveiller un quartier.*
63. Sans Domicile Fixe (n.m.): *Personne qui vit dans la rue.*
64. Clochard (n.m.): *Voir S.D.F.*

– C'est possible. En tout cas, nous avons obtenu un témoignage intéressant de la part d'un S.D.F. Il est souvent à côté de l'église, près du square à l'angle de la rue de l'Abbaye et de la place Saint-Germain. Vous saviez que c'est là que les frères Lumière ont organisé la première séance de cinéma du monde en 1895 ?

– Non, je ne savais pas…

– C'était un petit film de quelques minutes. Je l'ai trouvé sur Internet. Ce n'est pas passionnant. On y voit juste des ouvrières sortir d'une usine.

– Et le S.D.F., il a vu quelque chose ? demande Tenon plus intéressé par son enquête que par l'histoire du cinéma.

– Il dit avoir vu un type en train de courir vers minuit, le soir du crime. L'inconnu est sorti de la rue de l'Abbaye pour se précipiter vers le boulevard Saint-Germain. Le clochard se souvient très bien des cloches de l'église qui venaient de sonner minuit. Malheureusement, à cause de l'alcool sans doute, il est incapable de décrire la personne mais il nous a parlé d'un grand manteau noir assez élégant et d'une casquette en cuir.

– Ce ne serait donc pas un clochard… C'est assez mince comme indice[65], déplore Tenon. Ah,

---

65. Indice (n.m.) : *Information intéressante pour l'enquête.*

j'oubliais, j'ai une bonne nouvelle pour votre fille. Tony Luisant est célibataire. Sa relation avec Rose n'était qu'une mise en scène pour la presse. Ce n'est pas lui qui l'a mise enceinte.

– Et vous ne connaissez pas le père de l'enfant, par hasard ? demande Brochant.

– Malheureusement non !

– S'il ne s'est pas présenté à la police en apprenant le meurtre de Rose, c'est peut-être qu'il ne sait pas qu'il allait devenir père.

– Mmmh, c'est bizarre. Il a aussi peut-être quelque chose à se reprocher… Vous avez reçu les enregistrements du répondeur téléphonique de Rose Vérone ? demande Tenon. Ce mystérieux père lui a sans doute laissé des messages…

– Nous avons écouté son répondeur. Nous étudions les numéros qui l'ont appelée ou qu'elle a appelés. En tout cas, pas de message d'un amoureux secret. Elle devait souvent nettoyer son répondeur. Mais nous avons un message intéressant d'une de ses amies. Écoutez, il est enregistré sur mon ordinateur.

Allô, c'est Séverine. On m'a dit que le tournage ne se passait pas très bien. Te laisse pas faire par ce gros vicieux[66] de Barot ! Rappelle-moi, bises…

---

66. Vicieux (adj.) : *Personne qui a de mauvaises intentions, en particulier sexuelles. Pervers.*

– Intéressant, non ? demande Brochant.

– C'est sûr, je…

Le commissaire interrompt Tenon d'un grand geste de la main :

– Et puis nous avons un message d'une dénommée Elsa, une copine de Rose qui l'a appelée le soir du meurtre, à 23 h 12 précisément. Elle appelle pour modifier l'heure de leur rendez-vous, le lendemain matin. Un petit-déjeuner au café de Flore à 7 h 15 au lieu de 7 h 00.

– La pauvre Elsa a dû boire son café toute seule…

Extraits d'interrogatoire de Thomas Sandman, producteur, 12 h 32

Oscar Tenon : Êtes-vous avare[67] ?

Thomas Sandman : Étrange question…

OT : Des gens qui travaillent pour votre film nous ont raconté que vous mettez beaucoup de temps à les payer. *film vec/explosive*

TS : Faire un film, cela coûte très cher. Parfois, on a quelques retards de paiement mais tout s'arrange.

OT : Vous venez souvent assister au tournage ?

TS : Non, je travaille le plus souvent à mon bureau. Je gère les finances et l'organisation. Simon Barot s'occupe des choses artistiques.

OT : Combien deviez-vous payer Rose Vérone pour ce film ?

TS : C'est confidentiel…

OT : C'est une enquête criminelle. Nous aurons accès aux comptes bancaires de votre société.

TS : 25 000 euros pour dix jours de tournage.

OT : Vous lui avez déjà versé cette somme ?

TS : Une petite partie. *Had you already transferred it*

OT : Et l'argent était géré par son manager, Pierre Bertin ?

TS : Tout à fait.

OT : Que pensez-vous de lui ?

---

67. Avare (adj.) : *Personne qui refuse de dépenser son argent.*

TS : Pierre est un ami depuis vingt ans. C'est un homme charmant.

OT : Et Rose, comment la trouviez-vous ?

TS : Très gentille mais un peu trop timide. Pierre s'occupait de tout pour elle.

OT : Et Simon Barot, vous vous entendez bien avec lui ?

TS : Très bien, c'est notre deuxième film ensemble. Nous n'avons jamais eu de problèmes.

OT : Il est bien payé ?

TS : Lui, ça dépend du nombre de spectateurs dans les salles…

OT : Vous pouvez me le décrire en quelques mots ?

TS : Intelligent, cultivé, un peu râleur… mais travailleur…

OT : Diriez-vous que c'est quelqu'un de… vicieux ?

TS : … *grdy*

OT : Aime-t-il un peu trop les femmes ?

TS : Il *Serus* semble très heureux avec Karine, sa femme.

OT : Il n'a jamais eu d'aventure avec une de ses actrices ?

TS : J'en sais rien, demandez-lui.

Extraits d'interrogatoire de Simon Barot, 14 h 29

Oscar Tenon : Aimez-vous votre femme ?

Simon Barot : Drôle de question… Bien sûr que j'aime ma femme…

OT : Aimez-vous les actrices qui tournent avec vous ?

SB : Je ne travaille qu'avec des gens que je choisis et que j'aime. *[handwritten: only work with]*

OT : Mais il y a aimer et aimer…

SB : Je ne vois pas ce que vous voulez dire…

OT : J'ai entendu dire que vous étiez vicieux. Sur le tournage, aimez-vous regarder les actrices se déshabiller ?

SB : …

OT : C'est une question sérieuse, répondez !

SB : Vous insinuez que j'ai tué Rose dans sa caravane ?

OT : Je vous demande juste ce que vous pensez de cette rumeur.

SB : Je n'en pense rien.

OT : Et donc que faisiez-vous, le soir du meurtre ?

SB : Je suis rentré en taxi chez moi, tout de suite après le tournage.

OT : Tout seul ?

SB : Oui, tout seul, j'ai retrouvé ma femme.

OT : Il paraît que vous n'aimez pas Pierre Bertin, pourquoi ?

SB : Il était juste toujours derrière Rose quand elle tournait. Il la suivait partout.

OT : Il la suivait partout mais il n'était pas avec elle le soir du meurtre ?

SB : Non, il n'était pas sur le tournage dans la soirée. D'ailleurs Rose était plus décontractée.

OT : Quelles étaient vos relations avec Rose ?

SB : Purement professionnelles.

OT : Et rien d'autre ?

SB : Non, Rose avait l'âge d'être ma fille.

OT : Avant le meurtre, comment était l'ambiance sur le tournage du film ?

SB : Normale. Je gueule un peu mais c'est pour le bien du film. _Ivan_

Extraits d'interrogatoire de Pierre Bertin, 15 h 17

Oscar Tenon: Rose Vérone avait-elle un comportement habituel les derniers jours avant sa mort ?

Pierre Bertin: Elle était peut-être un peu plus distante que d'habitude.

OT: Selon vous, à cause de sa grossesse ?

PB: C'est possible.

OT: Et vous, si proche d'elle, vous ne savez pas qui elle fréquentait ?

PB: Non. Depuis qu'elle vivait chez Tony, elle était beaucoup plus secrète. Avec mon épouse comme avec moi.

OT: Combien était-elle payée pour le film ?

PB: 20 000 euros…

OT: Et…

PB: Non, 25 000 euros.

OT: Rose vous a parlé de problèmes pendant le tournage du film ?

PB: Non. Pour les scènes d'extérieur, elle avait juste froid. Elle restait le plus souvent au chaud, dans sa caravane.

OT: Thomas Sandman est-il un bon producteur ?

PB: C'est agréable de travailler avec lui. Il connaît bien son métier. *He knew his job well*

OT: Était-il souvent présent pendant le tournage ?

PB : Oui, tous les jours.

OT : Que pensez-vous du réalisateur, Simon Barot ?

PB : C'est un bon cinéaste mais il change très souvent d'humeur.

OT : Vous ne l'appréciez pas beaucoup ?

PB : Ce n'est pas un ami. J'entretiens juste des relations professionnelles avec lui. *engage*

OT : Diriez-vous que c'est un vicieux ?

PB : C'est-à-dire ?

OT : Qu'il a un problème avec les femmes.

PB : Il est connu pour être un peu lourd avec les jeunes femmes. C'est pourquoi j'étais très présent pendant le tournage.

OT : Il s'est mal comporté avec quelqu'un ?

PB : Il était toujours en train de crier mais je ne l'ai pas vu manquer de respect à une femme.

dis respectful

4

12 février 2012, 9 h 38, Quai des Orfèvres

Tenon s'amuse en lisant le rapport de police de Besançon, assis sur son bureau.

Lilian Love s'appelle Lilian Marin et il a treize ans. Il est le fils de Jean-Claude Marin, ouvrier dans une usine de chaussures. Lilian est un adolescent un peu bruyant. Avec son ordinateur, il joue les hommes adultes sur Internet. Quand ses parents travaillent, il envoie des messages d'amour à des chanteuses et des actrices. Et il se fait souvent passer pour un athlète musclé d'une trentaine d'années.

Les flics de Besançon ont interrogé son père qui sait à peine se servir de l'ordinateur familial. Et l'adolescent n'a pas longtemps nié[68] les faits.

---

68. Nier (v.): *Dire que ce n'est pas vrai.*

Sur le disque dur, dans un joli dossier rose, on a retrouvé les mails envoyés à Rose Vérone, et l'unique message écrit par l'actrice :

Arrêtez de m'écrire ou j'appelle la police.

Rose Vérone n'étant plus là pour porter plainte, l'histoire d'amour s'est terminée par une grosse dispute. Jean-Claude Marin a décidé d'interdire l'ordinateur à son fils pendant six mois.

Oscar Tenon déteste les ordinateurs. La punition lui semble bien légère.

Le flic n'est pas très content, seul dans son petit bureau. C'est une piste sérieuse qui disparaît. Cependant, il pense avoir découvert quelque chose avec les interrogatoires d'hier. Thomas Sandman, Simon Barot et Pierre Bertin se contredisent. Sandman dit ne jamais aller sur le tournage alors que Bertin affirme le contraire. Et Sandman était bien sur le tournage quasiment tous les jours, des techniciens l'ont confirmé. Pourquoi ment-il ? Et cette hésitation de Pierre Bertin sur le salaire de Rose Vérone... Et cet air suspect de Simon Barot... Et si l'un des trois était le père de l'enfant qu'attendait Rose Vérone ? Et si l'un des trois l'avait retrouvée vers minuit dans sa caravane...

11 h 36

Séverine Frémont était une amie proche de Rose Vérone. C'est elle qui a laissé un message téléphonique où elle traitait Simon Barot de gros vicieux. Et à cause du chagrin peut-être, c'est une femme en colère qui parle au téléphone avec le lieutenant Tenon.

– Qui vous a dit que le tournage du film ne se passait pas bien ? demande le flic après de brèves présentations.

– Ça faisait une semaine que Rose travaillait sur ce film. Je ne lui avais pas parlé depuis dix jours. C'est un ami acteur qui m'a dit que l'ambiance était tendue. J'ai donc appelé Rose pour en discuter avec elle.

– Et elle vous a rappelée ?

– Non, elle n'a pas eu le temps…

– Pourquoi avez-vous dit que Simon Barot était un gros vicieux ?

– Ce salaud[69] a agressé[70] Rose !

– Vous dites qu'il l'a assassinée ?

– Non, euh, c'est possible… Je dis juste qu'avant le début du film, pendant les répétitions[71],

---

69. Salaud (n.m.) : *Insulte pour qualifier un homme mauvais. (fam.)*
70. Agresser (v.) : *Attaquer quelqu'un, être violent.*
71. Répétition (n.f.) : *Moment où un acteur s'entraîne à dire son texte et son rôle avant un spectacle ou pour un film.*

il a agressé Rose. Et quinze jours après, elle est morte…

– Que s'est-il passé ? demande le flic.

– Un soir, Rose m'a appelée. Elle pleurait beaucoup. Simon Barot venait de l'agresser pendant un rendez-vous, dans son bureau. Ils se sont retrouvés seuls et il s'est jeté sur elle. Elle s'est enfuie en laissant toutes ses affaires.

– Et qu'est-ce qui s'est passé après ?

– Rose est allée se plaindre à Thomas Sandman. Le pire, c'est qu'elle se sentait gênée alors qu'elle était la victime !

– Qu'a fait Sandman ?

– Il a été très bien. Il a soutenu Rose mais il n'était pas question de porter plainte[72] contre ce salaud de Barot, trois jours avant le début du tournage. Sandman l'a juste menacé et lui a demandé de présenter des excuses à Rose. Ce qu'il a fait…

– Et Pierre Bertin, qu'a-t-il pensé de tout cela ?

– Oh, personne ne l'a prévenu ! Il n'aurait pas supporté.

– Pourquoi ?

– Il était très protecteur[73] avec Rose, peut-être trop… Il l'adorait et voulait tout contrôler

---

72. Porter plainte : *Se plaindre officiellement auprès de la police.*
73. Protecteur (adj.) : *Protéger comme un parent.*

dans sa vie. Si on lui avait raconté l'agression, il aurait sans doute fait arrêter le tournage. Et Rose ne souhaitait pas ça. Pauvre Pierre ! Je ne sais pas s'il va pouvoir se remettre de la mort de Rose.

– Vous étiez au courant qu'elle attendait un enfant ?

– Non, je ne savais même pas qu'elle avait quelqu'un dans sa vie. Elle était très secrète… même avec moi…

À Saint-Germain-des-Prés, le tournage de *La Parole du chef* a repris. Dans une ambiance lourde, l'équipe tourne à nouveau les scènes de Rose Vérone avec une nouvelle actrice. C'est une jolie brune aux jambes aussi longues que celles de Rose.

De son côté, le lieutenant Tenon inspecte le quartier, les mains dans les poches de son imperméable. Il a froid. Dans le petit square contre l'église Saint-Germain, il s'arrête pour admirer une statue en bronze de Picasso. Un étrange hommage à Guillaume Apollinaire : il s'agit d'un joli visage de femme qui n'a rien à voir avec le poète moustachu.

Le flic se retourne pour observer avec attention les immeubles de la rue de l'Abbaye. Il a du mal à comprendre pourquoi aucun habitant n'a rien entendu. Pour sauver sa vie, Rose Vérone a sans doute crié et les premiers appartements sont à moins d'une dizaine de mètres du lieu du crime. Une seule explication : le double vitrage[74] est sans doute d'excellente qualité.

Tenon part vers la caravane où a été assassinée l'actrice. Elle est désormais interdite d'accès par les services de police. Un détail a peut-être échappé à tout le monde. Une simple intuition : le toit de la caravane attire irrésistiblement[75] Oscar Tenon. Il imagine découvrir quelque chose, avec une vue panoramique sur la rue de l'Abbaye et la place de Furstenberg. De là-haut, il veut comprendre le chemin parcouru par le meurtrier pour arriver à la caravane et en repartir. Mais en costume cravate, Tenon n'est pas un aventurier, encore moins un alpiniste.

Le flic laisse passer un passant puis regarde à droite, à gauche, comme le ferait un voleur avant d'arracher un sac. La rue de l'Abbaye est calme. Aucun flic devant le commissariat. L'équipe du film travaille sur la place de Furstenberg. Tenon

---

74. Double vitrage (n.m.) : *Fenêtre très grosse avec deux plaques de verre pour une meilleure protection contre le froid et le bruit.*
75. Irrésistiblement (adv.) : *On ne peut pas lui résister.*

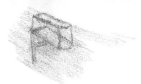

se précipite, grimpe sur l'une des roues puis tente d'attraper le toit de la caravane. Mais il est trop petit. Il essaie plusieurs fois de monter, sans réussir. Tenon râle comme un enfant coléreux car il a sali son beau costume.

La chance est pourtant avec lui, même s'il ne la mérite pas. Sous la caravane d'à côté est accrochée une échelle[76]. D'un coup, la situation se simplifie. Seul problème, l'échelle grince[77] beaucoup quand le flic monte dessus. Il est prêt enfin à arriver sur le toit de la caravane, quand une grosse main poilue attrape sa jambe droite.

Le flic ne voit rien venir. Il tombe tout de suite en arrière. Il n'arrivera jamais au sommet de la caravane. Heureusement pour lui, sa chute est amortie par le grand type au blouson noir qui l'a tiré par la jambe. Tenon s'écrase tout de même assez lourdement au sol. Le souffle coupé, il est presque K.O. Son épaule lui fait mal. Son beau brushing est en désordre. La manche de sa veste de costume est abîmée. Pendant quelques longues secondes, il ne peut pas ouvrir la bouche.

– Qu'est-ce que vous faites là ? lui demande un gros homme musclé aux cheveux rasés.

– … Rien…

---

76. Échelle (n.f.): *Objet qui permet de monter.*
77. Grincer (v.): *Faire un bruit de métal.*

– Le commissariat est tout près. Vous vous expliquerez chez les flics.

– Mais je suis flic. J'enquête sur le meurtre de Rose Vérone, souffle Tenon en sortant sa carte de police avec difficulté.

– Il fallait le dire ! grogne le grand type.

– Quand on vous attaque par-derrière, c'est un peu difficile. Et vous, qui êtes-vous ? demande le flic qui a du mal à retrouver sa respiration.

– Je suis vigile chez Tranquilitas. Je surveille le matériel et les caravanes toute la journée.

– Eh bien, vous êtes vigilant[78] pour un vigile, plaisante Tenon. Aidez-moi à me relever !

Finalement, Tenon ne monte pas sur le toit de la caravane. Il préfère masser son épaule douloureuse tout en se dirigeant vers le lieu du tournage.

Sur la place de Furstenberg, il aperçoit Simon Barot dans son gros anorak blanc, un casque stéréo sur les oreilles. Le cinéaste fait de grands gestes et donne des ordres à une dizaine de personnes autour de lui. Une jeune femme le suit et note tout ce qu'il dit sur un grand cahier.

Tenon n'aime pas Barot. Pour le flic, il ressemble à un petit chien agressif, toujours prêt à mordre. Cependant, entre mordre et étrangler une

---

78. Être vigilant (expr.) : *Surveiller avec une grande attention, faire très attention.*

jeune femme, il y a une grosse différence. Mais Simon Barot a menti pendant son interrogatoire, c'est une évidence[79] pour le lieutenant.

Thomas Sandman est là aussi, les mains dans les poches, à une dizaine de mètres, derrière un énorme projecteur[80]. « Ce monsieur me ment et je n'aime pas ça du tout. Il va finir par me dire la vérité », pense Tenon en lui faisant signe d'approcher. Le producteur reconnaît le flic et arrive lentement, comme on va chez le dentiste. Aucun bonjour, aucune poignée de main. Sandman se sent supérieur à Tenon et souhaite le montrer.

— Vous ne m'avez pas dit que vous ne veniez jamais sur le tournage ? demande Tenon d'un ton désagréable.

— Après le meurtre, je suis solidaire des acteurs et des techniciens. C'est important que je sois là !

— Comme c'est important de dire la vérité. Et la vérité, c'est que vous m'avez menti !

— Non, je ne…

D'un geste brusque, Tenon lève la main pour arrêter Sandman.

— Je sais que Simon Barot a agressé Rose Vérone pendant les répétitions.

---

79. C'est une évidence (expr.) : *C'est clair, facile à comprendre. C'est sûr, certain.*
80. Projecteur (n.m.) : *Spot de lumière très forte.*

Thomas Sandman regarde soudain le sol, plus aucun signe de supériorité sur le visage. Après un long silence, le flic prend le producteur par la manche et lui dit :

— Venez, nous allons marcher dans le quartier et parler un peu. Je n'ai pas trop envie que Barot nous voit ensemble.

Les deux hommes se dirigent alors vers la rue Bonaparte. C'était autrefois un petit ruisseau qui allait se jeter dans la Seine. Les trottoirs sont étroits et il est difficile de marcher à deux côte à côte. Sandman est sur la route, vingt centimètres plus bas que le flic.

— Pourquoi vous ne m'avez pas raconté les problèmes entre Rose Vérone et Simon Barot ? demande Tenon.

— Je voulais protéger Simon. Ce n'est pas un assassin. Il a seulement un problème avec les femmes…

— Qu'est-ce que vous voulez dire par là ? demande Tenon en souriant.

— Eh bien… dès qu'il voit une jolie femme, il ne peut pas s'empêcher de vouloir la séduire.

— Et pourquoi Rose Vérone n'a-t-elle pas porté plainte après l'agression ?

— C'était un geste choquant de la part de Simon. Mais il n'y a pas eu viol…

– C'est encore à prouver. Je vous rappelle que Rose Vérone était enceinte au moment de sa mort.

– Simon n'est certainement pas un violeur! En tout cas, Rose voulait absolument faire le film. Je lui ai donc promis de surveiller Simon de très près.

– C'est pourquoi vous étiez très présent pendant le tournage?

– C'est exact.

– Pierre Bertin était lui aussi très présent. Vous lui avez parlé de l'agression?

– Non, surtout pas! répond Sandman spontanément. Je ne sais pas comment Pierre aurait réagi. Mais il se doutait de quelque chose.

– Il se doutait de quoi?

– Je ne sais pas très bien. Il semblait très angoissé. Je ne sais pas s'il a parlé avec Simon, s'ils se sont expliqués. Mais il avait peur de tout, il était très protecteur avec Rose, bien plus que d'habitude.

– Ça n'a servi à rien! Aujourd'hui, elle est morte… ironise Tenon. Vous avez un téléphone portable?

– Bien sûr.

– Et j'imagine que vous avez le numéro de Pierre Bertin?

– Bien entendu.

– Vous pouvez me le composer, s'il vous plaît ?

Tenon s'écarte d'une dizaine de mètres de Sandman, le téléphone sur l'oreille. Le manager de Rose décroche après trois sonneries.

– Pierre Bertin, j'écoute.

– Lieutenant Tenon à l'appareil. Je voulais juste savoir si vous avez eu une discussion avec Simon Barot un peu avant la mort de Rose. Il ne vous a rien dit de particulier ?

– La dernière fois qu'il m'a parlé, c'est pour me crier dessus pendant le tournage. Il voulait que je parte.

– Et vous vous souvenez de quelque chose d'étrange pendant les répétitions du film ?

– Barot ne voulait pas que j'accompagne Rose aux répétitions. Elle était un peu stressée par le film. Elle voulait bien faire. Elle est allée habiter deux ou trois jours chez son amie Elsa, dans le 5e arrondissement. Demandez-lui, Rose s'est peut-être confiée à elle.

– Elsa, s'agit-il de la jeune femme avec qui Rose avait rendez-vous au café de Flore, le matin où on l'a retrouvée morte ?

– Oui, c'est bien elle.

– Rose avait-elle le temps d'aller au café de Flore avant de tourner ?

– Elle devait tourner à 9 heures. Le rendez-vous au Flore avec Elsa était à 7 h 15. C'est à cinq minutes à pied de la place de Fustenberg, elle avait donc le temps.

– Vous êtes bien précis ! l'interrompt Tenon.

– C'était mon métier de m'occuper de tous les rendez-vous de Rose.

– Et maintenant, vous n'avez plus de métier…

5

13 février 2012, 10 h 23, Quai des Orfèvres

Rachid Ghetto est un DJ à la mode de trente
et un ans. Il connaît un succès international avec
ses *singles* de *dance music* vendus par millions. Lui
ne chante pas, il compose juste de la musique avec
de grosses boîtes à rythme et des synthétiseurs.
La nuit du meurtre de Rose Vérone, monsieur Ghetto mixait dans une immense disco-
thèque de Budapest. La vidéo de sa soirée est
déjà sur Internet, sur *Youtube* ou *Dailymotion*. On
y voit des milliers de jeunes qui dansent frénéti-
quement devant le DJ qui passe des disques, un
casque stéréo sur les oreilles. De la musique de
fous, selon Oscar Tenon qui se sent agressé par
la musique techno.
Le numéro de téléphone du DJ apparaît de
nombreuses fois dans les listings d'appels de Rose

Vérone. Mais une star comme Rachid Ghetto a un numéro sécurisé VIP. Aussi, son opérateur téléphonique n'a donné son identité à la brigade criminelle qu'après trois jours d'échanges de courriers officiels.

Rachid Ghetto a un problème dans la vie : il est marié. C'est pourquoi il n'est pas venu témoigner chez les flics quand il a appris la mort de Rose. Il était amoureux d'elle. Et selon lui, Rose partageait ses sentiments. Une liaison secrète depuis leur rencontre dans un cocktail, quatre mois plus tôt.

Le DJ semble sincère et très déprimé face au commissaire Brochant et au lieutenant Tenon. Il savait depuis quelques jours que Rose attendait un enfant de lui. Ils étaient fous de joie. Ghetto devait quitter sa femme et Rose arrêter l'histoire ridicule avec Tony Luisant.

Son alibi de Budapest semble inattaquable[81]. Et puis l'homme accepte volontiers qu'on lui prenne de la salive[82] pour vérifier son ADN.

---

81. Inattaquable (adj.) : *Qui ne peut pas être attaqué, qui est vrai.*
82. Salive (n.f.) : *Liquide dans la bouche.*

11 h 54

Quai des Orfèvres, Simon Barot arrive les menottes[83] aux poignets, entouré de trois policiers en uniforme qui l'ont interpellé place de Furstenberg. L'homme est furieux, les cheveux dans tous les sens. Il répète sans cesse :

– Vous n'avez pas le droit de m'empêcher de travailler ! Je n'ai pas tué Rose !

Assis dans une petite pièce d'interrogatoire, Tenon l'attend en relisant un document imprimé par le commissaire Brochant, le matin même. Il est impatient de parler avec Barot. Ses grands yeux verts sont prêts à fixer le suspect.

Le calme disparaît soudain quand le cinéaste pénètre dans la pièce, vêtu de son gros anorak blanc. Il ressemble à un épouvantail pas très propre.

Tenon ne comprend pas qu'un type comme ça puisse séduire une femme. Il ne se lève pas et l'accueille fraîchement :

– Retirez donc votre anorak ridicule et asseyez-vous ! Nous allons discuter.

– Je n'ai rien à vous dire, réplique Barot avec un regard de fou.

---

83. Menottes (n.f.) : *Bracelets en acier que les policiers mettent aux personnes arrêtées pour les empêcher de bouger.*

– Oh que si, vous avez des choses à me dire. Vous allez d'abord vous calmer, j'ai tout mon temps.

12 h 37

Le ventre d'Oscar Tenon gargouille[84]. Le jeune flic a faim mais il est décidé à ne pas bouger. Il fixe Simon Barot depuis plus d'une demi-heure dans un silence total. Le cinéaste, lui, n'arrête pas de remuer sur sa chaise mais il n'ouvre pas la bouche.

– Bon, on ne va pas s'éterniser comme deux ados qui n'arrivent pas à s'embrasser! crie soudain Tenon.

Barot sursaute et s'approche dangereusement du jeune flic:

– Parlez-moi sur un autre ton!

– J'ai pourtant l'impression d'être gentil avec vous, dit Tenon, pas du tout impressionné. J'ai la preuve que vous n'êtes pas l'assassin de Rose Vérone. Nous avons vérifié auprès de votre femme. Le soir du meurtre, elle dormait et malheureusement, elle ne se souvient pas de l'heure à laquelle vous êtes rentré. Mais vous avez de la

84. Gargouiller (v.): *Bruits de ventre quand on a faim.*

chance d'avoir un distributeur automatique de billets[85] à côté de votre immeuble.

– Pourquoi ? demande Barot un peu bêtement.

– Parce que la caméra de surveillance vous a filmé à 23 h 03, en bas de chez vous. La banque nous a fourni les enregistrements. Ça signifie que vous n'êtes pas le meurtrier de Rose. Elle a été assassinée entre minuit et une heure. Et des collègues ont visionné les enregistrements du distributeur jusqu'à deux heures du matin. Vous n'êtes visiblement pas ressorti de chez vous.

– Pourquoi suis-je ici, alors ? J'ai un film à tourner, râle Barot.

– Parce que vous ne m'avez pas dit que votre vrai nom, c'était Bérot et pas Barot, votre nom d'artiste.

– Ça change quoi ?

– Il y a une grosse différence. Simon Barot n'est pas connu de la police mais Simon Bérot a déjà été condamné pour agression sur une jeune femme, il y a dix ans. J'ai le dossier sous les yeux, avec vos empreintes et votre ADN. Vous gardez de bons souvenirs de vos six mois de prison ?

– Pas vraiment, murmure Bérot-Barot.

---

85. Distributeur automatique de billets (n.m.): *Machine où les clients d'une banque peuvent prendre de l'argent.*

– Le problème, c'est que l'ADN de monsieur Bérot, donc le vôtre, a été retrouvé sur une jeune femme agressée à Paris il y a une semaine… Elle s'appelle Anouk Autran. Vous la connaissez ? On a retrouvé des traces de votre salive sur le col de son manteau.

Le visage du cinéaste est soudain aussi blanc que son anorak. L'homme se sent pris au piège[86].

– J'ai l'impression que vous n'allez pas pouvoir terminer votre film… lâche Tenon en s'approchant de l'oreille du réalisateur.

14 h 31

Assis à son bureau, Oscar Tenon déguste des sashimis achetés dans un restaurant japonais dirigé par des Chinois, comme souvent à Paris. Le poisson fond sous le palais, surtout le saumon. Tenon ferme les yeux de plaisir. Il se concentre aussi sur le nouveau client qu'il doit interroger. L'homme patiente depuis plus d'une heure dans une pièce voisine, ce que les flics appellent « une cuisson à feu doux[87] ».

---

86. Être pris au piège (expr.) : *Ne pas pouvoir sortir d'une situation.*
87. Une cuisson à feu doux (expr.) : *Dans ce contexte, il s'agit de faire attendre très longtemps un suspect pour qu'il perde son calme.*

Comme toujours, Pierre Bertin est très élégant : costume et cravate couleur crème, avec une chemise rose nouée par des boutons de manchettes en or. Le manager a le visage triste et crispé. Il s'est activé depuis deux jours pour organiser l'enterrement[88] de Rose Vérone qui a lieu le lendemain.

— Monsieur Bertin, auriez-vous retrouvé le beau sac rouge de Rose, par hasard ? demande Tenon en rentrant dans la pièce.

Le manager lève les yeux, plein d'incompréhension.

— Ou alors, avez-vous retrouvé son téléphone portable ? poursuit le jeune flic.

— Je ne comprends pas, bafouille[89] Bertin.

— Moi non plus, je ne comprends pas…

Le flic se lève et laisse s'écouler une longue minute avant de poursuivre, à quelques centimètres du visage de Bertin :

— Hier, vous m'avez dit au téléphone que Rose avait rendez-vous avec son amie Elsa, à 7 h 15 au café de Flore.

— Bah oui, j'étais au courant de tous ses rendez-vous. J'étais son manager.

---

88. Enterrement (n.m.) : *Cérémonie pendant laquelle on met le corps d'un mort dans la terre.*
89. Bafouiller (v.) : *Parler avec difficulté, ne pas bien articuler.*

– Le rendez-vous était prévu à 7 h 00 et Elsa a laissé un message à Rose pour déplacer l'heure du rendez-vous à 7 h 15. Nous avons le relevé des appels. Le message d'Elsa a été passé à 23 h 12 le soir du meurtre. Ça signifie que vous avez écouté la messagerie de Rose après 23 h 12. Et vers minuit, Rose a été assassinée sans qu'on retrouve son sac à main et son téléphone portable… Après votre dîner au restaurant, vous l'avez retrouvée dans sa caravane ?

Le manager lance un regard désespéré[90] à Tenon, comme un enfant qui a fait une grosse bêtise. Il n'a plus aucune dignité[91], il est juste pathétique[92]. Il se prend la tête dans les mains et commence à pleurer doucement, en évitant le regard intense du lieutenant.

16 h 41

Cela fait plus de deux heures que Pierre Bertin ne bouge plus. Il ne répond à aucune question et fixe ses pieds ou le plafond en pleurant, sans bruit. Oscar Tenon s'endort[93] presque sur

90. Désespéré (adj.) : *Sans espoir.*
91. Dignité (n.f.) : *Honneur, fierté.*
92. Pathétique (adj.) : *Qui provoque la pitié.*
93. S'endormir (v.) : *Commencer à dormir.*

une chaise, face à lui, à moins de deux mètres. Il attend et sa patience est enfin récompensée.

– Je ne voulais pas… murmure Bertin.

Tenon est soudain prêt à attaquer.

– Vous ne vouliez pas quoi ?

Le manager renifle[94] et fait une nouvelle pause. Peut-être vient-il de se rendre compte qu'il va finir sa vie en prison.

– Je ne voulais pas la tuer… lâche Bertin en pleurant. C'est un horrible accident…

– On n'étrangle jamais personne accidentellement !

– Quand elle m'a annoncé qu'elle était enceinte, qu'elle voulait arrêter sa carrière pour élever son enfant, je suis devenu fou. J'ai crié et j'ai surtout voulu lui enlever ses boucles d'oreilles. Je les lui avais offertes après la mort de ma mère mais elle ne les méritait pas.

– Et pourquoi ? demande Tenon, la main dans les cheveux.

Pierre Bertin se gratte nerveusement le menton avant de répondre. Sa voix est soudain plus forte :

– Parce qu'elle allait détruire des années de travail… Et tout ça pour un homme marié en plus ! Elle ne méritait pas de porter les boucles

---

94. Renifler (v.) : *Aspirer bruyamment par le nez.*

d'oreilles de ma mère. Avec moi, elle allait devenir une star et elle se comportait comme une gamine inconsciente !

– Et qu'est-ce qui s'est passé exactement ?

De longues minutes de silence où le coupable[95] n'a plus d'autre choix que d'avouer. Mais la vérité a du mal à sortir de la bouche de Pierre Bertin. Le gentil monsieur n'est plus qu'un sale assassin. Dans un sanglot, le manager de l'actrice parvient à dire :

–… Elle s'est débattue[96], elle m'a dit des choses horribles…

– Quoi ?

–… Qu'elle ne voulait plus jamais me voir, qu'elle me détestait, que je l'étouffais[97], que j'étais une ordure[98]… pourtant, je me suis sacrifié pour elle pendant des années, je l'aimais de tout mon cœur.

– Et vous l'avez étranglée ?

– Je voulais qu'elle se taise… mais elle ne se taisait pas…

– Vous reconnaissez donc l'avoir étranglée.

– Je voulais juste qu'elle se taise.

---

95. Coupable (n.m.) : *Personne qui a commis un crime.*
96. Se débattre (v.) : *Se défendre, bouger dans tous les sens.*
97. Étouffer quelqu'un (v.) : *Empêcher une personne de devenir indépendante, être trop présent, souvent par amour.*
98. Ordure (n.f.) : *Insulte très violente contre une personne. Les ordures sont les objets qu'on met à la poubelle.*

– Qu'avez-vous fait de son sac à main, des boucles d'oreilles et de son téléphone portable ?

– J'ai tout jeté dans la Seine, quai Malaquais, mais je n'ai pas eu le courage de me jeter dans l'eau. J'ai pourtant essayé.

ÉPILOGUE

14 février 2012

Asafar Boulifa n'achète jamais de CD, ni même de DVD. Il télécharge illégalement logiciels, films et musiques sur Internet. Si Oscar Tenon était un flic honnête, il dénoncerait Boulifa aux services de police. Mais Tenon préfère regarder des films tranquillement chez son ami, en buvant des bières.

Asafar a téléchargé *Cuisine familiale*, le premier film de Simon Barot, le seul qui a connu le succès. Il va le regarder sur le plus grand de ses quatre écrans d'ordinateur. L'informaticien est toujours de bonne humeur et positif :

– Tu vas voir, c'est plutôt un bon film… Je l'ai vu au cinéma quand c'est sorti. C'est l'histoire d'un type qui rêve de manger sa femme. J'ai adoré ! Par contre, ses autres films sont nettement moins réussis.

Allongé sur un profond canapé rouge, Tenon déguste une bière. L'enquête est terminée. Aujourd'hui, il ne travaille pas, mais il est quand même en costume cravate. Il a cependant quitté ses chaussures car Asafar ne veut pas que l'on salisse sa jolie moquette. Le flic est un peu râleur et n'a pas très envie de regarder *Cuisine familiale* :

— Je n'aime pas les films français. Moins les réalisateurs ont de choses à dire et plus ils font parler leurs acteurs. Et puis, j'ai surtout besoin d'oublier ce Simon Barot. J'imagine que le public aussi va l'oublier rapidement. Pour l'agression d'Anouk Autran, il va rester une petite dizaine d'années en prison. À sa sortie, je lui conseille de disparaître le plus loin possible et d'oublier le cinéma.

— Et d'ailleurs, que se passe-t-il pour le film qu'il était en train de tourner ? demande Asafar. Ils arrêtent tout ?

— Je crois que Thomas Sandman est en train de chercher un nouveau réalisateur pour finir le film. Avec Rose Vérone au cimetière, un manager et un réalisateur en prison, la publicité du film est déjà assurée.

Crédits

Principe de couverture : David Amiel
Adaptation de couverture et iconographie : Vivan Mai
Maquette intérieure : Vivan Mai
Crédits iconographiques de la couverture : Caspar Benson/Gettyimages
Mise en pages : IGS-CP

Enregistrement, montage et mixage : Studio EURODVD
Texte lu par : Valérie Bezançon

ISBN 978-2-278-07249-1 – ISSN 2270-4388 – Dépôt légal : 7249/13
Achevé d'imprimer en avril 2023 par Dupliprint (Mayenne) - Imprimé en France - N° 2980624Y